CLAUDE LE MANCHEC

Pythagore

Étude de la pensée

© Comprendre la philosophie.

1 rue Honoré - 93500 Pantin.

ISBN 978-2-7593-1442-3

Dépôt légal : Février 2022

Impression Books on Demand GmbH

In de Tarpen 42

22848 Norderstedt, Allemagne

SOMMAIRE

INTRODUCTION

On assure que Pythagore a introduit en Grèce les mesures et les poids mais, plus vraisemblablement, cet homme de science et philosophe a consacré son œuvre à l'élucidation de ce qui appartient au domaine du visible ou de l'invisible, qu'il soit infime ou démesuré. Héritier de l'école de Thalès en Ionie, il conçoit la science dans son universalité, sous son aspect logique et rationnel. Ainsi l'eau est-elle désignée comme principe fondamental, la multiplicité étant réduite à l'essentiel. À la prolifération du réel, répond un principe unique, une loi.

La pensée de Pythagore se veut exempte des diverses superstitions et pratiques magiques qui sévissent en Crète, en Chaldée ou en Mésopotamie mais le philosophe admire en secret les savoirs qui se cachent derrière ces pratiques. C'est à Crotone dans le sud de l'Italie, avec l'aide de Démokédès, un célèbre médecin, qu'il érige un univers bien à lui. Les humains n'ont pas à se retourner vers une patrie mythique, originelle, le pays de bienheureux ; c'est à eux qu'il incombe de résoudre les questions que pose sans cesse l'univers. Pythagore lui-même serait un *daimôn*, un être intermédiaire entre les dieux et les hommes, un être fascinant par sa beauté, et sa philosophie s'apparente d'ailleurs à une révélation.

BIOGRAPHIE DE PYTHAGORE

C'est, en Grèce, dans un contexte d'épanouissement intellectuel très favorable qu'apparaît, après des philosophes et hommes de sciences comme Thalès, Anaximandre, Héraclite, Anaximène ou Hécatée, un penseur comme Pythagore.

Originaire de Samos, il est né vers 560 sur l'île de Samos à quelque 50 kilomètres au nord-ouest de Milet. Fils de Mnésarchos, joaillier lapidaire, lui-même voyagera en faisant commerce de gemmes et de bijoux somptueux. D'après ses premiers biographes, il aurait enseigné aux gens qu'il rencontrait qu'il était le fruit de semences d'une nature supérieure.

Pythagore s'affirme précocement à la fois un chef religieux et un homme de science. Jeune homme, il visite l'Égypte et Babylone où il se forme aux savoirs des Égyptiens et des Chaldéens et des Phéniciens pour tout ce qui touche aux sciences mathématiques et à la spéculation astronomique. À Babylone, il s'initie sans doute au calcul des éclipses et à l'observation des planètes, et il compare le système sexagésimal au système décimal en vigueur dans le monde méditerranéen. À Éphèse et à Milet, il rencontre les successeurs de Thalès, Anaximandre, Anaximène, et médite sur les éléments et le vide infini. En Égypte ou en Crète, il découvre les sacrifices et les mises à mort qu'il condamne.

Pythagore se rend ensuite en Ionie. C'est le but de son installation à Crotone en 532 qui possède une école de médecine où il rencontre Alcméon, un gymnaste. Il affirme qu'il va créer une communauté où seront travaillées toutes les disciplines, depuis les mathématiques jusqu'à la musique, en passant par l'astronomie, la médecine et la physiologie. Il participe à la fois au renouveau religieux qui survient en Grèce entière pendant le VIe siècle av. J.-C. et prend la tête d'une confrérie qui invente une forme de sainteté, faite d'ascèse, d'abstinence alimentaire et de règles morales strictes. Les disciples sont choisis parmi ceux qui savent et peuvent éviter la démesure, qui peuvent apprendre la maîtrise de soi et qui, le cas échéant, deviendront des ésotériques. Ces disciples obéissent à de nombreux préceptes de vie quotidienne.

Des idées politiques enrichissent petit à petit ces conceptions religieuses et, dès lors, Pythagore fonde d'autres communautés dans les villes d'Italie et de Grèce : Tarente, Métaponte, Sybaris, Caulonia, Locres, et, en Sicile, Rhégium, Tauroménium, Catane, Syracuse, et, face aux troubles politiques qui sévissent dans certaines cités, il préconise un gouvernement aristocratique. D'abord bien accueillie par les opposants à la montée de la démocratie, son école a été jugée parfois inacceptable et Pythagore est contraint de quitter Crotone et de partir alors vers le nord-ouest, jusqu'à Métaponte, sur le golfe de Tarente où il meurt à plus de quatre-vingt dix ans.

ANALYSE DE
SA PENSÉE

Un climat de grande religiosité

Les hommes célèbrent, dans les mystères orphiques et les mystères d'Éleusis, des messages venant de l'invisible. Au moment du fort développement de ces croyances, Pythagore exalte une forme d'ascèse, un retour aux origines et un dépouillement authentique qui engage l'individu dans sa vie même en échange d'une promesse de délivrance et de béatitude. En développant l'idée d'une entrée dans le monde du vrai et du beau, il propose lui-même une mystique sans dieux et où l'immortalité est la grande question d'hommes devenus eux-mêmes divins.

Malgré son refus du sacrifice humain comme animal, Pythagore cependant adhère à ce climat ultra-religieux et même l'amplifie. Pour Orphée, le corps est illusoire ; c'est un tombeau. De même, il y a chez Pythagore une austérité qui provient d'une souillure originelle et qui implique à la fois recherche de purification, observation de stricts commandements et répression de la convoitise. Renoncement et recherche de la beauté sont liés. Mais un tel dépouillement implique qu'une seule vie n'y suffit pas : seul le cycle des réincarnations le rend possible. Par une quête intérieure, qui réconcilie Apollon et Dionysos, l'homme peut devenir dieu lui-même. L'harmonie passe par une connaissance des lois de la nature.

Dans l'école de Pythagore, les interdits alimentaires sont nombreux. Au nom d'une défense de la beauté et de l'angoisse que provoquent les sacrifices d'animaux règne un végétarisme strict. De même, les secrets de la communauté ne doivent pas être trahis sous peine de dure punition.

Importance de la réminiscence des vies antérieures

Pour certains spécialistes comme Nietzsche, Pythagore est davantage un grand réformateur religieux qu'un philosophe. Toutefois il bâtit une école et crée un modèle de vie qui marque les esprits grecs et bien d'autres. Penseur partagé entre le mysticisme orphique et les études scientifiques, l'existence terrestre selon lui est un état d'expiation pour des sacrilèges passés. Après une purification dans l'au-delà, l'homme est destiné à renaître sous des formes toujours nouvelles. L'homme pieux, purifié, initié au cours de célébrations mystérieuses, peut sortir du cercle de l'éternel devenir. Les hommes vertueux renaissent sous la forme de devins, de poètes, de médecins ou de princes.

La doctrine de Pythagore accorde une grande importance à la réminiscence des vies antérieures qui serait un moyen de se connaître soi-même en sachant quelle est notre âme. L'âme doit reconnaître, à travers la multiplicité des incarnations, l'unité et la continuité de son histoire. Il s'agit d'établir la continuité entre soi et le monde en reliant la vie présente à l'ensemble des temps, en reliant l'existence humaine à la nature tout entière. Les pythagoriciens croient que l'âme peut quitter le corps pour une durée passagère ou de façon permanente, et s'introduire dans le corps d'un autre être humain vivant. Une telle conception de l'âme a sans doute une origine orientale mais l'on pense que le pythagorisme vient surtout en réaction aux excès du culte de Dionysos.

Le monde est plein d'âmes et celles-ci en s'incarnant tentent de trouver, pour elles-mêmes et pour ce qui les entoure, le secret de l'harmonie grâce à quoi l'univers, toujours neuf, se perpétue à travers l'infini du temps et de l'espace.

Dans ce cycle des réminiscences, la délivrance ne s'obtient que grâce à une purification absolue. Si toute naissance est une réincarnation, le nombre des âmes est limité. Dans le monde des âmes, rien ne se perd, rien ne se crée. Apollon le lumineux règne ici en maître et prend le pas sur Dionysos. D'où les encouragements de Pythagore à pratiquer la méditation, l'examen de conscience, la représentation des actes proches et passés car le pouvoir de remémoration est une conquête, car fautes et souillures ont terni nos vies successives.

« *Tout est nombre* »

Pythagore s'adresse surtout à un public de disciples initiés qui ont d'ailleurs développé ses idées. C'est au cours de ses voyages qu'il a découvert l'étude des mathématiques qui lui fait déclarer que « tout est nombre ». Cette théorie est fondée sur trois types d'observation : le philosophe note tout d'abord qu'il existe un rapport mathématique entre les notes de la gamme musicale et la longueur d'une corde ou d'une colonne d'air en vibration, comme dans une flûte. Une colonne d'air ou une corde d'une longueur donnée produit une note ; si sa longueur est réduite de moitié, elle donne une note supérieure d'une octave. Un rapport de longueur de 2 à 3 donne l'intervalle musical connu sous le nom de quinte et un rapport de 3 à 4 donne une quarte. Ainsi, si l'on prend une corde en vibration portant 12 unités de longueur (pouces, millimètres, etc.) et que l'on réduit sa longueur à 8 unités, elle produit un son supérieur d'une quinte à la note originelle ; réduite à 6 unités, elle produit l'octave. À partir de là, comme l'octave et la quinte sont considérés comme des sons harmonieux, Pythagore déclare que les nombres 12, 8 et 6 sont en « progression harmonique ». Il étend l'idée à la géométrie et en vient à affirmer qu'un cube est en harmonie géométrique parce qu'il a 6 faces, 8 angles et 12 arêtes.

Une deuxième observation concerne les triangles rectangles. Pythagore a dû apprendre en Égypte la règle des 3, 4, 5 relative aux longueurs des côtés. Mais à Babylone, il a pu voir que les mathématiciens ont compris que les nombres peuvent être 3, 4, 5 ou 6, 8, 10 ou n'importe quelle autre combinaison où le carré du plus grand nombre est égal à la somme des carrés des deux autres. C'est là un pas en avant qu'il saura mettre à profit.

La troisième observation est qu'il existe des rapports numériques définis entre les temps nécessaires aux différents corps célestes pour décrire leur orbite autour de la Terre.

Les pythagoriciens tirent de leurs études la conclusion que « tout est nombre ». Cette idée doit être toutefois replacée dans son contexte : elle est en effet fondamentalement mystique car elle attribue aux nombres et à leur rapport un statut absolu, voire divin.

Les nombres figurés captivent leur intérêt : 1 ou 3 ou 6 ou 10. Les nombres de cette série sont considérés comme ayant une signification spéciale car ils donnent le nombre « parfait » : 10 , puisque 1+2+3+4 = 10 ; parce qu'ils comprennent quatre points sur chacun de ses côtés, ce nombre est appelé « tetractys ». Les pythagoriciens le tiennent pour sacré et ne jurent que par lui. Les points disposés en ligne droite forment un nombre linéaire ; tout nombre entier est linéaire.

Un autre groupe de nombres est également appelés « parfaits » : ce sont des nombres qui sont égaux à la somme de leurs facteurs (distincts du nombre lui-même). Tels sont le 6 (parce que 6= 1+2+3), le 28 (1+2+4+7+14)… Les nombres parfaits suivants sont 496, puis 8128, puis 2096128… Euclide inventera plus tard une formule générale pour calculer ces nombres parfaits.

Une autre recherche conduit les pythagoriciens aux nombres « amiables ». On appelle ainsi une paire de nombres dont chacun est égal à la somme des facteurs de l'autre. Ainsi la paire 220 et 284 est amiable parce que les facteurs de 284 sont 1, 2, 4, 71 et 142 et qu'ils donnent au total 220, tandis que 220 a pour facteurs 1, 2 , 4 , 5, 10, 11, 20, 22, 44, 55 et 110 dont le total est 284. Les nombres 220 et 284 sont supposés avoir été découverts par Pythagore lui-même et ils forment certainement la seule paire de nombres « amiables » connue dans l'Antiquité.

Les nombres figurés sont très importants dans l'arithmétique pythagoricienne et il en existe de nombreuses formes, en plus de nombres triangulaires mentionnés plus haut. Il existe les nombres carrés (1, 4, 9), les nombres pentagonaux, les nombres formés par des rectangles aux côtés inégaux (nombres hétéromèques), les nombres formés par des pyramides aux bases carrées ou aux bases triangulaires, les nombres cubiques et même les nombres « autels » (des nombres formés par des pyramides dont les bases sont des rectangles et les côtés inégaux).

Un autre aspect des nombres qui intéressent les pythagoriciens est les « moyennes ». Pour commencer, ils s'intéressent à la moyenne arithmétique c'est-à-dire le nombre médian de trois nombres en progression arithmétique : ainsi dans la progression 4, 5, 6, la moyenne arithmétique est 5 ; dans la progression 4, 8, 12, elle est 8 etc.

Plus tard leur intérêt se porte sur vers la « moyenne géométrique », c'est-à-dire le nombre médian de trois nombres en progression géométrique telle que 2, 4, 8 où la moyenne est 4, ou 3, 9, 27 où cette moyenne est 9. Plus tard encore à la « moyenne harmonique » : dans la série 6, 8, 12 la moyenne harmonique est le 8.

Ces exercices signifient d'abord que ceux qui s'intéressent aux nombres sont capables de développer l'arithmétique et les techniques de manipulation des quantités numériques. Ensuite, dans la mesure où l'aspect religieux est impliqué, cette recherche montre l'importance du mysticisme, des rapports occultes entre les nombres, une sorte de numérologie magique.

Ainsi le pentagone a une signification mystique car lorsque cinq côtés sont prolongés pour tracer une étoile à cinq branches, ils se croisent dans la figure selon des proportions qui engendrent la « section d'or ». Cette section est une proportion que l'Antiquité classique estime agréable à l'œil et qui est fréquemment utilisée en architecture : c'est la division d'une longueur telle que le rapport entre la grande et la petite section est la même que la relation entre le tout et la grande section. Entre eux, les pythagoriciens utilisent le pentagone comme signe de reconnaissance.

Le théorème de Pythagore et les autres découvertes mathématiques

De toutes les connaissances mathématiques attribuées aux pythagoriciens, la plus importante est celle qui découle du théorème de Pythagore, c'est-à-dire le fait que toutes les quantités ne peuvent être exprimées en nombres entiers. Car, bien que le grand côté, ou hypoténuse, d'un triangle rectangle puisse avoir une longueur qui s'exprime en nombres entiers, le plus souvent, tel n'est pas le cas : qu'elle puisse ou non s'exprimer ainsi dépend de la longueur des deux autres côtés. Ainsi, si les petits côtés sont 3 et 4, l'hypoténuse sera le nombre entier 5 (parce que $3^2 + 4^2 = 25$ et que la racine carrée de 25 est 5) ; mais si les petits côtés sont 4 et 5, la longueur de l'hypoténuse n'est pas un nombre entier mais 6,4031242… Les premiers philosophes grecs en sont très contrariés car ce fait menace l'idée que la géométrie est le fondement des mathématiques mais ce fait est aussi le point de départ de travaux très stimulants.

Une cosmologie

L'amour des pythagoriciens pour la beauté et la symétrie et leurs préoccupations relatives aux nombres les conduisent à des conceptions importantes de l'univers. Ils pensent tout d'abord que toutes les planètes se déplacent régulièrement autour de la Terre selon la plus simple des courbes, c'est-à-dire en cercles. Cette conception influencera l'astronomie grecque dans son ensemble mais aussi l'astronomie médiévale en Europe. Ils pensent ensuite que le ciel et la Terre sont sphériques. La symétrie joue peut-être un rôle important dans cette conception, un ciel sphérique étant bien plus élégant que le ciel hémisphérique décrit par Homère. Une autre idée majeure réside dans la conception selon laquelle la Terre est une planète en orbite comme les autres planètes. Philalaos, disciple de Pythagore serait à l'origine de cette idée. La base de cette théorie repose sur la signification du nombre 10, la tétractys, dont on pense qu'elle doit exprimer le nombre des corps en mouvement dans l'univers. Pour obtenir un nombre aussi élevé de corps, on place, non pas la Terre mais un feu central au cœur de l'univers et on dispose tous les autres corps en orbite autour de lui. Ainsi il y a le feu central au cœur de l'univers et autour de lui tournent la Terre, la Lune, le Soleil, la sphère des étoiles. Pour obtenir dix corps en mouvement, Philalaos propose l'existence d'une *antikhton* ou Antiterre qui trace elle aussi son orbite autour du feu central, exactement à la même vitesse que la Terre. En conséquence, l'Antiterre se trouve toujours entre la Terre et le feu central dont la lumière est réfléchie par le Soleil, si bien que lorsque les parties habitées de la Terre s'écartent du Soleil pour nous donner le nuit (car la Terre tourne), le feu central ne peut pas être vu directement. Ce schéma résout le problème esthétique et mystique qui exige l'existence de dix corps en orbite et, en même temps, il justifie les observations des mouvements planétaires.

La place de la musique

La musique occupe, dans ce cadre, une place majeure en tant à la fois qu'art et point de départ des investigations philosophiques et scientifiques. D'essence sacrée, elle se joint à la poésie pour mener le novice sur la voie. Les pythagoriciens connaissent le cube, la pyramide, le dodécaèdre à douze faces et cette symétrie évoque encore l'harmonie tant recherchée. La croyance en l'importance fondamentale des nombres influence aussi leur attitude à l'égard de la musique. Non seulement les nombres sont utilisés pour exprimer les intervalles musicaux mais, en outre, ce travail est étendu de telle manière que des gammes musicales entières, couvrants de nombreux octaves, puissent être construites.

Les pythagoriciens croient aussi à l'existence d'un aspect musical du ciel appelé « musique des sphères », conception qui s'appuie à la fois sur leurs connaissances des mathématiques des sons et sur leurs études des périodes orbitales des planètes. Leur astronomie tient les corps célestes pour divins mais admet aussi l'idée que les planètes se trouvent à des distances différentes de la Terre et plus proches d'elle que les étoiles. L'amour qu'ils portent aux nombres les conduit à étudier ces distances en déterminant les mouvements périodiques des planètes et finalement ils adoptent pour elles un ordre de distance fondé sur la vitesse à laquelle elles se déplacent sur leur orbite apparente autour de la Terre, ce qui leur donne l'ordre suivant : Terre, Lune, Mercure, Vénus, Soleil, Mars, Jupiter, Saturne. Cet ordre sera plus tard modifié : Mercure et Vénus seront placés après le Soleil.

Le son est mathématique, proclame Pythagore qui a

découvert, selon Aristote, les lois de l'harmonique : « Ces philosophes remarquèrent que tous les modes de l'harmonie musicale et les rapports qui la composent se résolvent dans des nombres proportionnels. » De la musique découle et s'établit toute espèce d'harmonie. La musique porte à l'allégresse naturelle et met sur la voie des lois éternelles qui régissent l'univers. Elle ouvre un accès à l'envers des choses. Elle est magie, elle est d'essence mathématique. Elle possède en outre un pouvoir thérapeutique.

CONCLUSION

Pour la première fois, lorsqu'on considère les travaux menés du temps de Pythagore, nous sommes en mesure de nommer les auteurs des recherches et des découvertes scientifiques. Plus de textes anonymes mais directement des hommes avec une histoire, une famille, un territoire, bref une identité. Il s'agit en réalité d'une nouvelle culture et d'un âge dans lesquels science, philosophie et religion ne sont pas complètement séparés. Au VIIe siècle av. J.-C., l'âge scientifique s'affirme ; la science parvient au résultat étonnant de séparer, d'isoler peu à peu et selon des modalités diverses, l'investigation des lois de la nature de toutes les questions religieuses et métaphysiques ayant trait aux relations entre l'homme et les dieux. Les modes de vie traditionnels sont moins prégnants ; les traditions sont questionnées, mises en doute, parfois critiquées et renouvelées – revivifiées – sur de nouvelles bases. En Ionie, les riches échanges commerciaux avec l'Orient stimulent les questionnements.

À l'époque de Pythagore, géographie, cosmographie, biologie se développent ensemble en Grèce. Anaximandre montre que tout vient de l'illimité et tout y retourne mais, avec Pythagore, c'est un tour plus abstrait qui va être donné à la recherche, grâce aux mathématiques : géométrie et arithmétique. Connaissance du monde environnant et connaissance de soi s'épaulent l'une l'autre. La pensée de Pythagore est en tout une recherche de l'harmonie qui est unification du multiple et accord du discordant selon Philolaos, un disciple.

L'école de Pythagore, selon Diogène Laërte, a subsisté pendant neuf ou dix générations tant son rayonnement fut grand. On compte parmi ses nombreux disciples Xénophile de Thrace, Phanton de Phlionte, Échécrate, Dioclès, Polymnastos de Phlionte. L'un de ses grands successeurs est Empédocle.

PRINCIPAUX
OUVRAGES

Les œuvres de Pythagore ne sont connues que de façon indirecte, notamment par les écrits de Diogène Laërte.

Ouvrages perdus :

L'Âme, traité de la piété
L'Éducation
La Politique
La Physique
Considérations
Sur les propriétés des plantes
Discours sur Abaris
Descente aux enfers
Paroles d'or

Quelques commentaires

Gobry (Ivan), *Pythagore, ou la naissance de la philosophie*, Paris, Seghers, coll. « Philosophes de tous les temps », 1992.

Jacquemard (Simone), *Pythagore et l'harmonie des sphères*, Paris, Le Seuil, 2004.

Mattéi (Jean-François), *Pythagore et les Pythagoriciens*, Paris, PUF, coll. « Que-sais-je ? », 1993.

Pichot (André), *La Naissance de la science*, t. 2 (Grèce antique), Paris, Gallimard, coll. « Folio Essais », 1991.

Ronan (Colin), *Histoire mondiale des sciences*, Paris, Le Seuil, 1988.

LA CITATION

Pythagore lu par Cicéron

« Par la même raison, sans doute, tous ceux qui se sont attachés depuis aux sciences contemplatives, ont été tenus pour Sages, et ont été nommés tels, jusques au temps de Pythagore, qui mit le premier en vogue le nom de philosophes. Héraclide de Pont, disciple de Platon, et très habile homme lui-même, en raconte ainsi l'histoire. Un jour, dit-il, Léon, roi des Phliasiens, entendit Pythagore discourir sur certains points avec tant de savoir et d'éloquence, que ce prince, saisi d'admiration, lui demanda quel était donc l'art dont il faisait profession. À quoi Pythagore répondit, qu'il n'en savait aucun ; mais qu'il était philosophe. Et sur ce, le roi, surpris de la nouveauté de ce nom, le pria de lui dire qui étaient donc les philosophes, et en quoi ils différaient des autres hommes. » (Cicéron, *Tusculanes*, V, 3, 8)

DANS LA MÊME COLLECTION
(par ordre alphabétique)

- **Claude Le Manchec**, *Levinas*
- **Claude Le Manchec**, *Lucrèce*
- **Claude Le Manchec**, *Machiavel*
- **Claude Le Manchec**, *Malebranche*
- **Claude Le Manchec**, *Marc Aurèle*
- **Claude Le Manchec**, *Marx*
- **Claude Le Manchec**, *Montaigne*
- **Claude Le Manchec**, *Montesquieu*
- **Claude Le Manchec**, *Nietzsche*
- **Claude Le Manchec**, *Pascal*
- **Claude Le Manchec**, *Platon*
- **Claude Le Manchec**, *Rousseau*
- **Claude Le Manchec**, *Russell*
- **Claude Le Manchec**, *Saint Augustin*
- **Claude Le Manchec**, *Saint Thomas*
- **Claude Le Manchec**, *Sartre*
- **Claude Le Manchec**, *Schopenhauer*
- **Claude Le Manchec**, *Sénèque*
- **Claude Le Manchec**, *Spinoza*
- **Claude Le Manchec**, *Tocqueville*
- **Claude Le Manchec**, *Wittgenstein*